采桑子·谢家庭院残更立

（清）纳兰容若

谢家庭院残更立，燕宿雕梁。
月度银墙，不辨花丛那辨香。
此情已自成追忆，零落鸳鸯。
雨歇微凉，十一年前梦一场。

画堂春·一生一代一双人 （清）纳兰容若

一生一代一双人，争教两处销魂。相思相望不相亲，天为谁春？

浆向蓝桥易乞，药成碧海难奔。若容相访饮牛津，相对忘贫。

浣溪沙·谁念西风独自凉 （清）纳兰容若

谁念西风独自凉，
萧萧黄叶闭疏窗，
沉思往事立残阳。
被酒莫惊春睡重，
赌书消得泼茶香，
当时只道是寻常。

蝶恋花·辛苦最怜天上月

〔清〕纳兰容若

辛苦最怜天上月，一昔如环，昔昔都成玦。若似月轮终皎洁，不辞冰雪为卿热。

无那尘缘容易绝，燕子依然，软踏帘钩说。唱罢秋坟愁未歇，春丛认取双栖蝶。

和元微之杂忆诗　〔清〕纳兰容若

春葱背痒不禁爬，
十指掺掺剥嫩芽。
忆得染将红爪甲，
夜深偷捣凤仙花。

鹊桥仙·纤云弄巧 〔宋〕秦观

纤云弄巧，飞星传恨，
银汉迢迢暗度。金风玉露一相逢，
便胜却人间无数。
柔情似水，佳期如梦，
忍顾鹊桥归路。两情若是久长时，
又岂在朝朝暮暮。

画堂春·落红铺径水平池 〔宋〕秦观

落红铺径水平池，弄晴小雨霏霏。杏园憔悴杜鹃啼，无奈春归。柳外画楼独上，凭栏手捻花枝，放花无语对斜晖，此恨谁知？

一丛花·年时今夜见师师

（宋）秦观

年时今夜见师师，双颊酒红滋。疏帘半卷微灯外，露华上、烟袅凉飔。簪髻乱抛，偎人不起，弹泪唱新词。佳期谁料久参差。愁绪暗萦丝。想应妙舞清歌罢，又还对、秋色嗟咨。惟有画楼，当时明月，两处照相思。

阮郎归·潇湘门外水平铺 〔宋〕秦观

潇湘门外水平铺，月寒征棹孤。

红妆饮罢少踟蹰，有人偷向隅。

挥玉著，洒真珠，梨花春雨馀。

人人尽道断肠初，那堪肠已无。

风入松·听风听雨过清明　〔宋〕吴文英

听风听雨过清明，愁草瘗花铭。楼前绿暗分携路，一丝柳、一寸柔情。料峭春寒中酒，交加晓梦啼莺。

西园日日扫林亭，依旧赏新晴。黄蜂频扑秋千索，有当时、纤手香凝。惆怅双鸳不到，幽阶一夜苔生。

江城子·乙卯正月二十日夜记梦　〔宋〕苏轼

十年生死两茫茫，不思量，自难忘。千里孤坟，无处话凄凉。纵使相逢应不识，尘满面，鬓如霜。夜来幽梦忽还乡，小轩窗，正梳妆。相顾无言，惟有泪千行。料得年年肠断处，明月夜，短松冈。

一斛珠·洛城春晚 〔宋〕苏轼

洛城春晚。垂杨乱掩红楼半。小池轻浪纹如篆。烛下花前，曾醉离歌宴。自惜风流云雨散。关山有限情无限。待君重见寻芳伴。为说相思，目断西楼燕。

翻香令·金炉犹暖麝煤残

〔宋〕苏轼

金炉犹暖麝煤残。惜香更把宝钗翻。重闻处，馀薰在，这一番、气味胜从前。背人偷盖小蓬山。更将沈水暗同然。且图得，氤氲久，为情深、嫌怕断头烟。

离思五首·其四 〔唐〕元稹

曾经沧海难为水，
除却巫山不是云。
取次花丛懒回顾，
半缘修道半缘君。

遣悲怀·其一 〔唐〕元稹

谢公最小偏怜女，自嫁黔娄百事乖。
顾我无衣搜荩箧，泥他沽酒拔金钗。
野蔬充膳甘长藿，落叶添薪仰古槐。
今日俸钱过十万，与君营奠复营斋。

遣悲怀·其二 〔唐〕元稹

昔日戏言身后事，今朝都到眼前来。
衣裳已施行看尽，针线犹存未忍开。
尚想旧情怜婢仆，也曾因梦送钱财。
诚知此恨人人有，贫贱夫妻百事哀。

九月九日忆山东兄弟 （唐）王维

独在异乡为异客，
每逢佳节倍思亲。
遥知兄弟登高处，
遍插茱萸少一人。

相思 〔唐〕王维

红豆生南国，
春来发几枝？
愿君多采撷，
此物最相思。

菩提寺私成口号 〔唐〕王维

万户伤心生野烟，
百官何日再朝天。
秋槐叶落空宫里，
凝碧池头奏管弦。

辛夷坞　（唐）王维

木末芙蓉花，
山中发红萼。
涧户寂无人，
纷纷开且落。

栾家濑 〔唐〕王维

飒飒秋雨中，
浅浅石榴泻。
跳波自相溅，
白鹭惊复下。

钗头凤·世情薄 （宋）唐琬

世情薄，人情恶，雨送黄昏花易落。
晓风干，泪痕残。欲笺心事，
独语斜阑。难，难，难。
人成各，今非昨，病魂常似秋千索。
角声寒，夜阑珊。怕人寻问，
咽泪装欢。瞒，瞒，瞒。

钗头凤·红酥手 〔唐〕陆游

红酥手，黄縢酒。满城春色宫墙柳。东风恶，欢情薄。一杯愁绪，几年离索。错，错，错。

春如旧，人空瘦。泪痕红浥鲛绡透。桃花落，闲池阁。山盟虽在，锦书难托。莫，莫，莫。

书愤 〔宋〕陆游

早岁那知身世艰，中原北望气如山。
楼船夜雪瓜洲渡，铁马秋风大散关。
塞上长城空自许，镜中衰鬓已先斑。
出师一表真名士，千载谁堪伯仲间。

沈园二首

〔唐〕陆游

其一：

城上斜阳画角哀，沈园非复旧池台。
伤心桥下春波绿，曾是惊鸿照影来。

其二：

梦断香消四十年，沈园柳老不吹绵。
此身行作稽山土，犹吊遗踪一泫然。

叹花 （唐）杜牧

自是寻春去校迟，
不须惆怅怨芳时。
狂风落尽深红色，
绿叶成阴子满枝。

紫薇花 〔唐〕杜牧

晓迎秋露一枝新，
不占园中最上春。
桃李无言又何在，
向风偏笑艳阳人。

蚕妇 〔宋〕张俞

昨日入城市，
归来泪满巾。
遍身罗绮者，
不是养蚕人。

赠去婢 〔唐〕崔郊

公子王孙逐后尘，
绿珠垂泪滴罗巾。
侯门一入深似海，
从此萧郎是路人。

红叶题诗 〔唐〕顾况

花落深宫莺亦悲，
上阳宫女断肠时。
君恩不闭东流水，
叶上题诗寄予谁。

频酌淮河水

〔宋〕戴复古

有客游濠梁，频酌淮河水。
东南水多咸，不如此水美。
春风吹绿波，郁郁中原气。
莫向北岸汲，中有英雄泪。

怀家三首（其一）〔宋〕戴复古

三年寄百书，
几书到我屋。
昨夜梦中归，
及见老妻哭。